"Mwynhau
bath oer
hyfryd!"
chwarddodd
Madfall.
"Un, dau, tri
– i mewn â fi!"

A gyda sblash
bychan-bach ..

Sblash!

glaniodd Sebra
yn y pwll dŵr.

"Www, bath oer hyfryd!"
gwaeddodd Jiráff.
"Un, dau, tri – i mewn â fi!"

A gyda sblash enfawr ...

Sblash!

glaniodd Jiráff
yn y pwll dŵr.

"Www, bath oer hyfryd!"
trwmpedodd Eliffant.
"Mi ddof innau i mewn atoch chi i gyd."

Edrychodd yr anifeiliaid
ar ei gilydd mewn dychryn.
"Na!" gwaeddodd pawb.

"Paid, Eliffant. Paid!"

Ond chlywodd Eliffant mohonyn nhw.
Camodd yn ôl a dechrau rhedeg.
Carlamodd a tharanodd tuag at y pwll dŵr gan weiddi,
"Un, dau, tri – i mewn â fi!"
A gyda naid hollol mega-wefreiddiol-anferthol ...

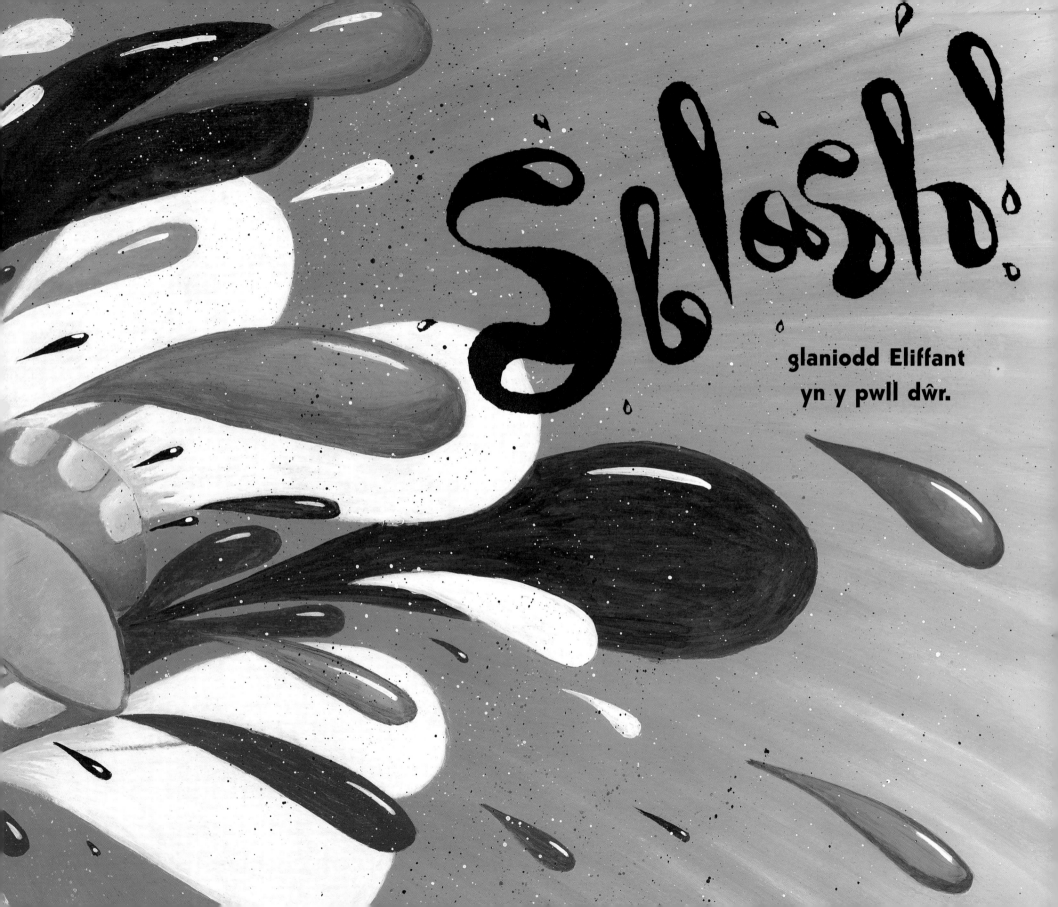

Sblosh!

glaniodd Eliffant
yn y pwll dŵr.